NEOPOLIS

SILLAGE

7 . Q . H . I .

Scénario

Jean David MORVAN

Dessin et couleurs

Philippe BUCHET

DELCOURT

FRancho !!!
  J. D. M.

Watashi no jinsei o shimau no o watashi no kokoro
ni testsudau yagi-chan wa, arigatô gozaimasu.
Merci aussi à Christian de s'acquitter avec ponctualité et talent des sélections
de cet album (une fois encore), et cela malgré ses lourdes charges de groom.
                                                                    Ph. B.

Dans le même univers

Site officiel
www.poukram.org

KRIFT!

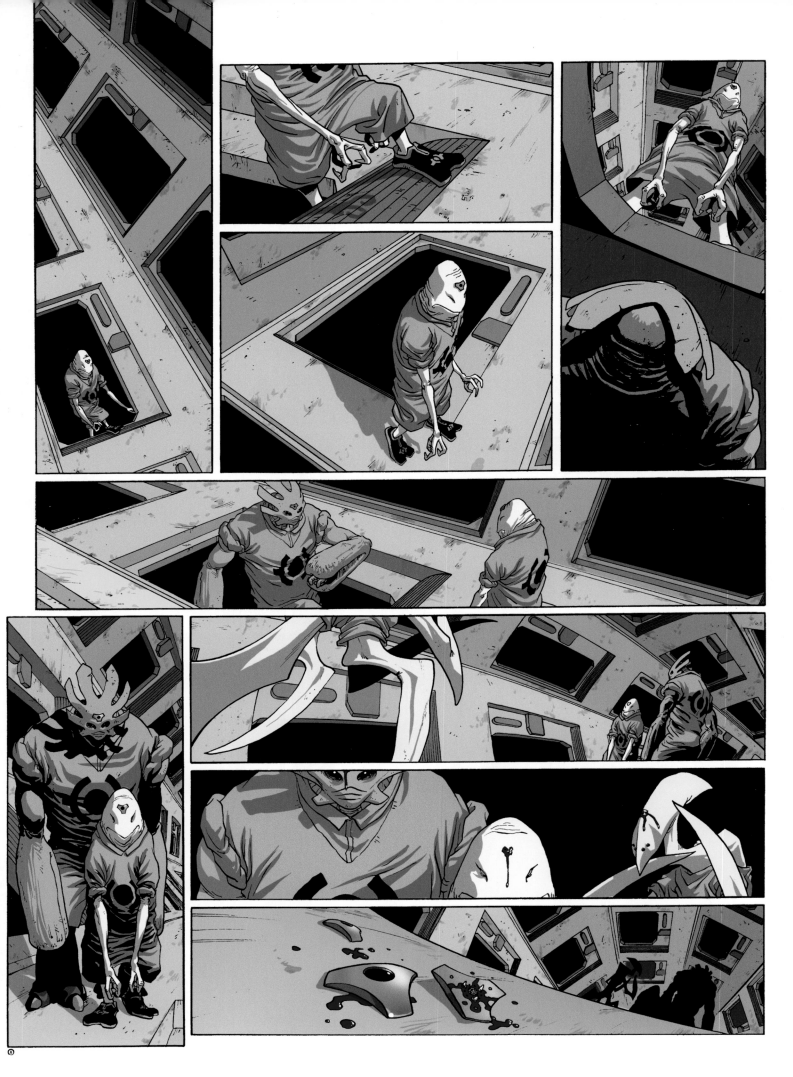

LES GRILLES DÉSACTIVÉES?... BORDEL!!? DES CERVO8'!

ALLEZ! EXPLOSONS CETTE TURNE!!

PUTAIN DE VÉROLE!! C'EST ENCORE MIEUX QUE JE L'ESPÉRAIS HUR! HUR!

HU?!! BEN... C'EST QUOI CE BORDEL?!!

RÉVEILLEZ-VOUS, BANDE DE LARVES!!

TA GUEULE!

LES ÉCRANS DE CONTRÔLE SONT CUITS AUSSI!!

LES EMMERDES NE FONT QUE COMMENCER, IL Y A DÉJÀ TROIS DÉTENUS DANS LA COURSIVE!

QUOI?!

LES GARS, VOUS ALLEZ GENTIMENT REGAGNER VOS CELLULES, SINON,,,

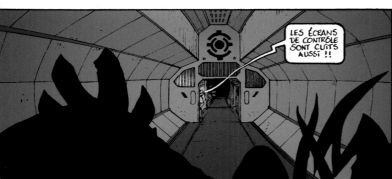

BON SANG! MAIS QU'EST-CE QUE C'EST QUE CETTE PANNE?!!

Y A PLUS UNE ONCE D'ÉNERGIE DANS TOUTE LA PRISONEF!!

!?

HA!! REGARDEZ! ILS N'ONT PLUS LEUR CERVOBTURATEUR!!

EH MERDE!!

K K

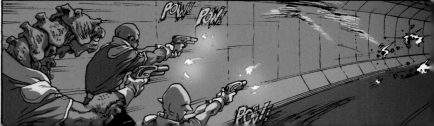

POW! POW!

POW!

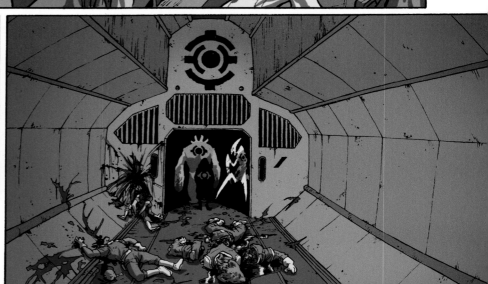

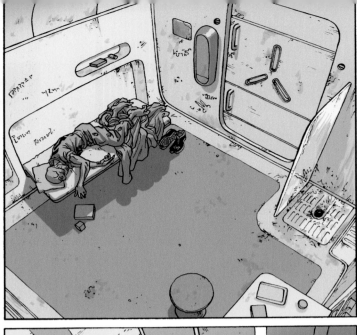

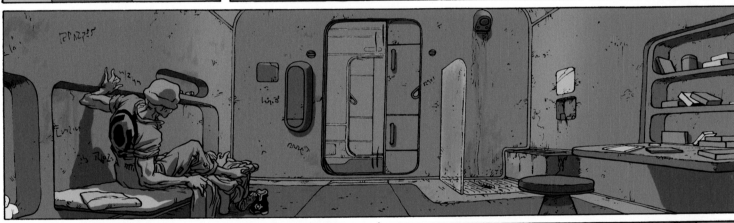

KLAK!

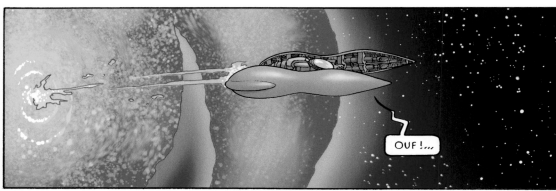

OUF!...

...JE N'AI PU M'EMPÊCHER D'AVOIR UNE ANGOISSE AU PASSAGE DE LA TÉLÉPORTE !!

T'INQUIÈTE PAS, LE VAISSEAU A ÉTÉ RÉPARÉ ... EN TOUT CAS, CE SABOTAGE NE M'A PAS EMPÊCHÉE DE VENIR VOIR RIB'WUND !

C'EST QUAND MÊME DINGUE QU'ON AIT ESSAYÉ DE M'ÉLIMINER ! JE N'AI AUCUNE INFO COMPROMETTANTE !

N'OUBLIE PAS QUE TU ES LA SEULE CRÉATURE INTELLIGENTE DONT ON NE PEUT LIRE LES PENSÉES.

ILS NE SAURONT DONC JAMAIS CE QUE JE SAIS VRAIMENT SUR CETTE HISTOIRE DE CORRUPTION !

ALORS TE SUPPRIMER RESTE LA MEILLEURE GARANTIE POUR EUX !!

EH BIEN, QUITTE À AVOIR UN CONTRAT SUR LE DOS ...

...JE NE SORTIRAI PAS DE LA CELLULE DE RIB'WUND SANS AVOIR DES NOMS !

AH ! ÇA FAIT PLAISIR DE TE VOIR COMME ÇA...

J'AI EU PEUR QUE TU...

IMMOBILISEZ-VOUS IMMÉDIATEMENT !!

L'ACCÈS À LA ZONE CARCÉRALE EST FORMELLEMENT INTERDIT !

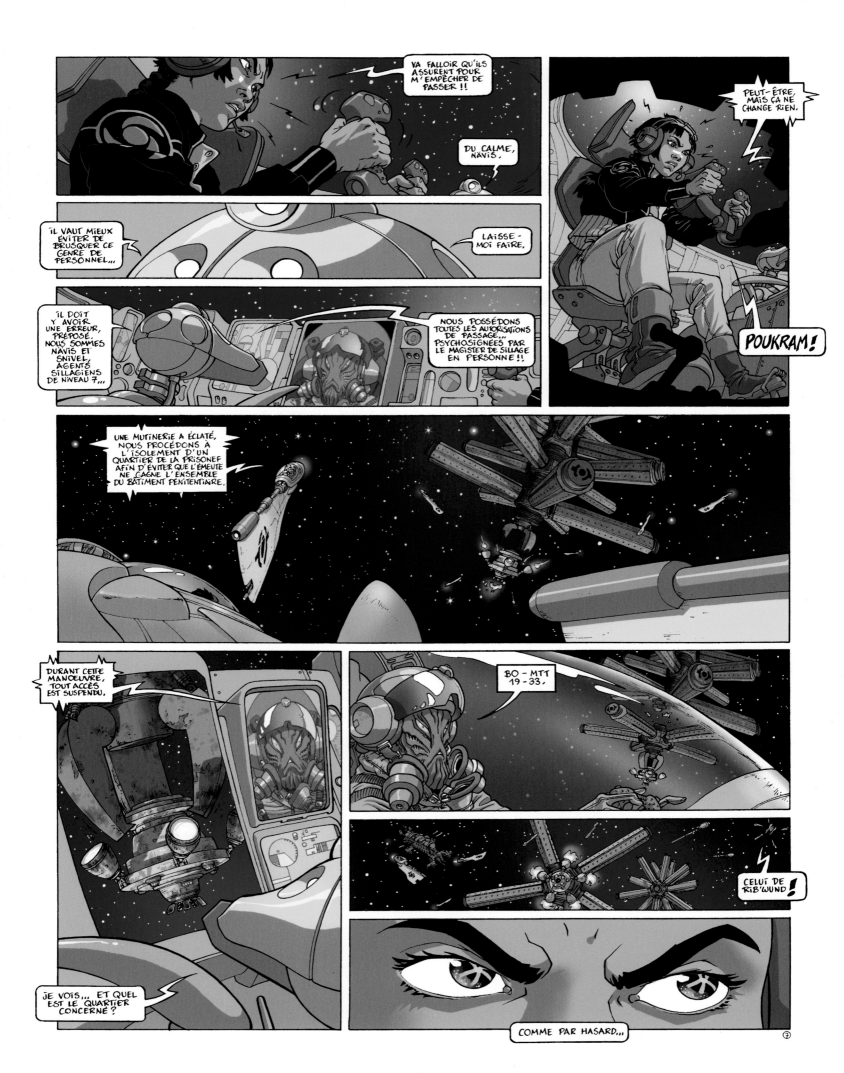

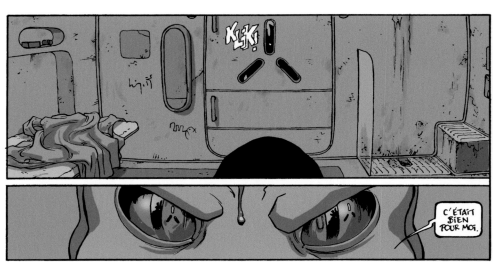

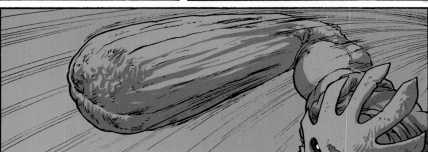

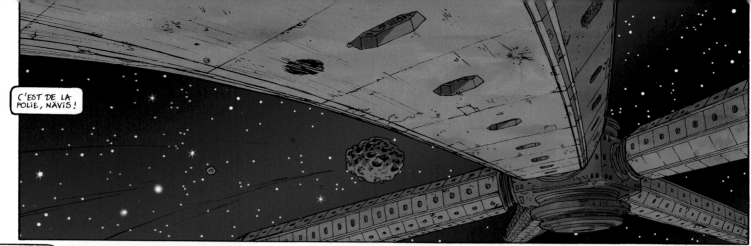

C'EST DE LA FOLIE, NÄVIS!

SNIVEL! ON A PASSÉ TOUS LES BARRAGES SANS ÊTRE REPÉRÉS PAR LES CAPTEURS MENTAUX...

NE ME FAIS PAS REGRETTER DE T'AVOIR RALLUMÉ!

JE NE M'INQUIÈTE PAS DES GEÔLIERS, MAIS DES DÉTENUS...

...JE N'OSE MÊME PAS IMAGINER CE QUI SE PASSE LÀ-DEDANS!!

TU N'AURAS PAS À Y ENTRER! J'AI JUSTE BESOIN QUE TU ME GUIDES DE L'EXTÉRIEUR.

JUSTEMENT!!

QU'UNE BOÎTE DE FERRAILLE REMPLIE DE BÊTES FAUVES AUX POUVOIRS DIVERS RENDUES ENCORE PLUS FOLLES PAR L'ABSENCE DE GARDIENS?!

...J'EN DOUTE!!

C'EST POUR TOI QUE J'AI PEUR!

HAN! J'EN AI VU D'AUTRES.

DE TOUTES FAÇONS, LA QUESTION NE SE POSE PAS, RIB'WUND EST DANS CE PIÈGE... ET IL N'A QUE NOUS POUR L'EN SORTIR!

JE SUIS SÛRE QUE CETTE ÉMEUTE N'A ÉTÉ DÉCLENCHÉE QUE POUR MAQUILLER SON ASSASSINAT!! J'ESPÈRE NE PAS ARRIVER TROP TARD!

DÉPOSE-MOI LÀ, SUR L'AVANT-DERNIER PANNEAU D'ENTRETIEN, IL Y A UN NŒUD DE CIRCUITS.

J'AI TROUVÉ PAR OÙ TE FAIRE ENTRER!

BONNE NOUVELLE! PAR OÙ?

HEM... PAR LE VIDE-ORDURES.

POUR'QUOI JE NE SUIS PAS SURPRISE?...

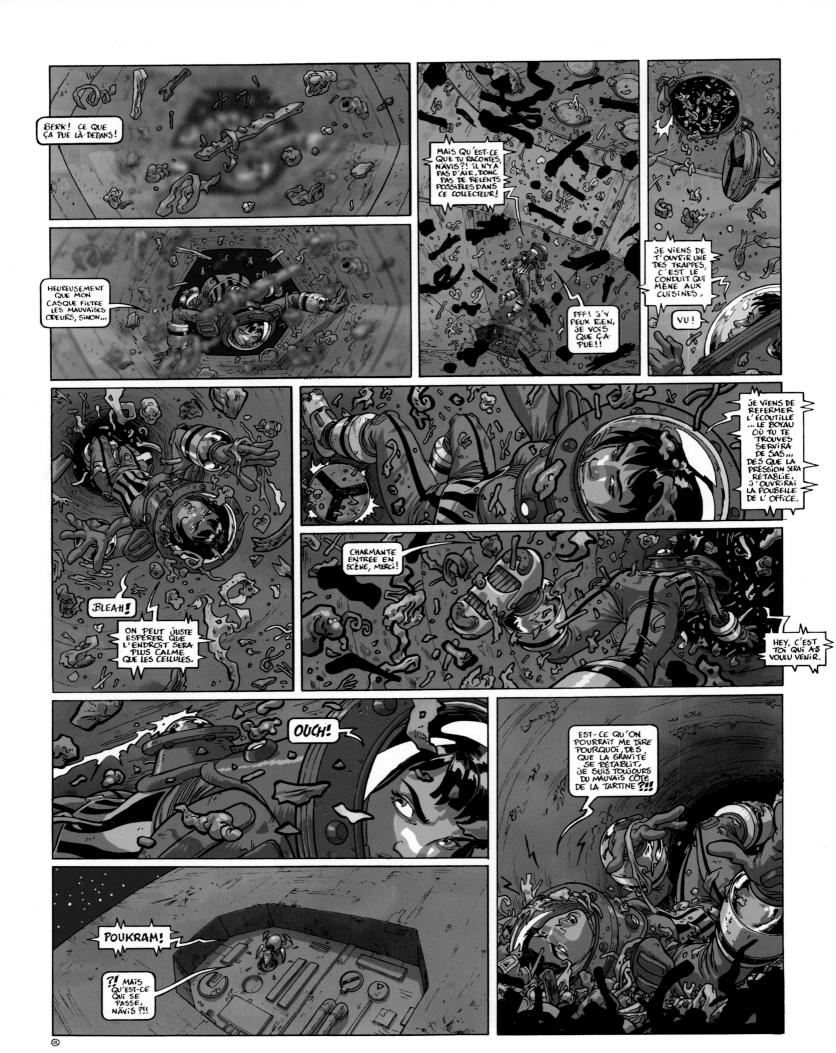

14

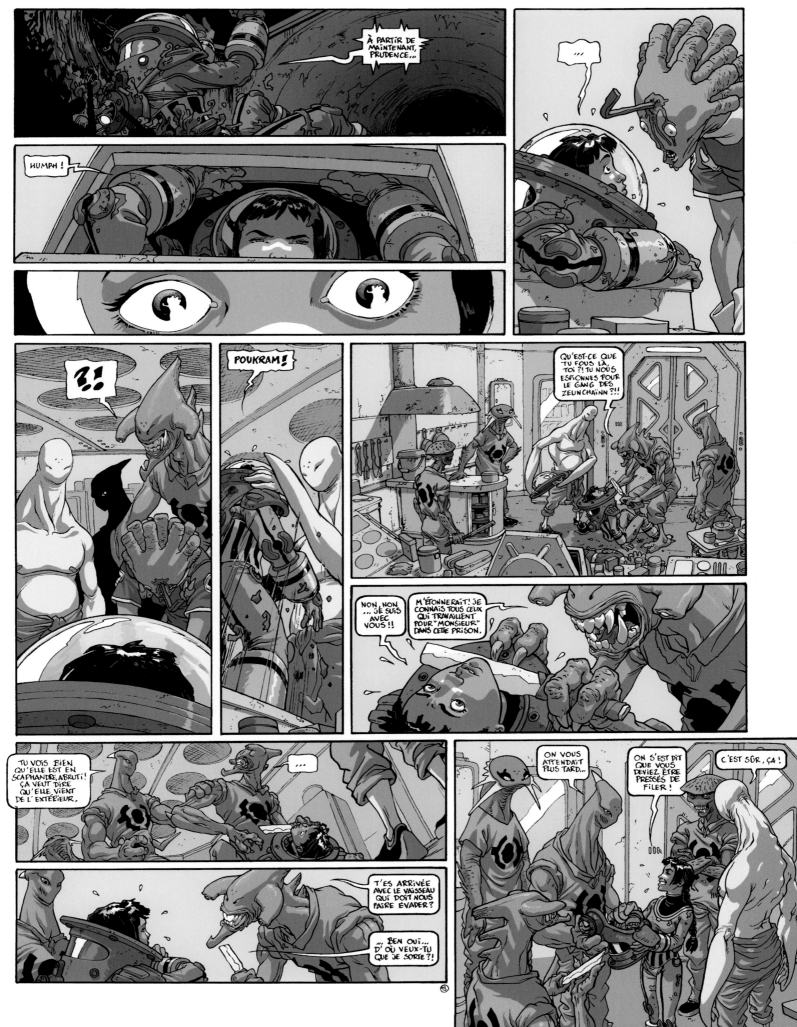

15

BON SANG DE BONSOIR !!

NÄVIS EST MAL EMBRINGUÉE ! ET JE SUIS IMPUISSANT !!

JE DOIS ABSOLUMENT TROUVER LE MOYEN DE L'AIDER !!

AVEC CE CORPS RÉDUIT, MON LOGICIEL PUGILISTIQUE EST INEFFICIENT.

...SINON, TOUS CES BARBARES PRENDRAIENT UNE BONNE CORRECTION !

MMMH ?!

OÙ AS-TU TROUVÉ ÇA, QABOOM ?

DANS LE VIDE-MATON.

ELLE DIT QU'ELLE EST NOTRE CONTACT AVEC LE VAISSEAU QUI VIENT NOUS ÉVACUER.

MAIS ?!! TU NE RECONNAIS PAS CETTE CRÉATURE ?!

NÀVIS ?!! TU VAS BIEN ?!

POUR L'INSTANT JE MAÎTRISE, SNIVEL.

J'AI PRIS EN OTAGE LE PARRAIN LOCAL, SEMBLE-T-IL.

C'EST CE QUE J'AI CRU ENTENDRE, HUMF! 15% DE PROFES-SIONNALISME ET 85% DE CHANCE! TU T'EN TIRES À BON COMPTE!

SI JE DOIS BUTER VOTRE BOSS, JE PRÉFÈRE NE PAS ME SALIR !! ALLEZ !

MAIS NE TENTE PAS LE DIABLE! RÉCUPÈRE TON SCAPHANDRE TANT QUE TU PEUX ET SORS VITE DE LÀ !

TST! TST!

...

BON! JETEZ VOS ARMES... ET TOI LÀ, QABOOM, RENDS-MOI MON FLINGUE!

TU NOUS PRENDS POUR DES CONS ?! POURQUOI ON FERAIT ÇA ?!!

KSSSS

AAA!

BIEN AIMABLE.

AAAH! BORDEL! FAITES CE QU'ELLE DIT !!

PASSEZ DEVANT! VOUS TOUS !!

VOUS ALLEZ ME MONTRER COMMENT REJOINDRE LE QUARTIER DE HAUTE SÉCURITÉ!

NOOON!

ALLEZ HOP, CHEF...

UN PEU D'EXERCICE NE TE FERA PAS DE MAL!

C'EST PAS DU TOUT CE QU'ON A DIT, NÀVIS !!

COMMENT VEUX-TU QUE JE T'AIDE, SI TU N'ÉCOUTES RIEN ?!!

SI SEULEMENT JE POUVAIS APPELER BOBO À LA RESCOUSSE!

AVEC UN PEU DE CHANCE, IL DEVRAIT COMMENCER À S'INQUIÉTER. NOTRE PASSAGE CHEZ LES GUNJINNS A QUAND MÊME PRIS DU TEMPS!

MAIS POUR ÇA, IL FAUDRAIT QU'IL SOIT DÉJÀ RENTRÉ DE MISSION.

ON N'EST PAS SAUVES...

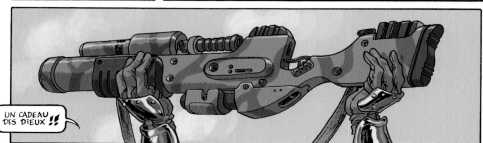

UN CADEAU DES DIEUX !!

QUAND IL NE RESTERA QUE LES CADAVRES FUMANTS DES SOLDATS, NOUS PILLERONS LEURS CITÉS, VIOLERONS LEURS FEMMES ET FERONS DE LEURS ENFANTS NOS ESCLAVES!!

OUI MES GUERRIERS, C'EST AVEC CETTE ARME, D'UNE PUISSANCE INÉGALÉE QUE NOUS ALLONS ÉCRASER LES CLANS ENNEMIS!

NOUS SERONS LES MAÎTRES DE NIHHON!!

ET LE.."OUCH!

SOCK!

DÉSOLÉ!

LES PIRATES DE SILLAGE QUI DEALENT CE GENRE DE MATOS SONT VRAIMENT SANS SCRUPULE! ...

CELA POURRAIT AVOIR DE FÂCHEUSES CONSÉQUENCES DANS UN TEL MONDE DE BRUTES SA

KRAK

OUPS !...ERREUR DE DÉBUTANT, AURAIT DIT RIB-WUND...

IL A FRAPPÉ LE CHEF!

À MORT!

TUONS-LE!

HRRR

21

23

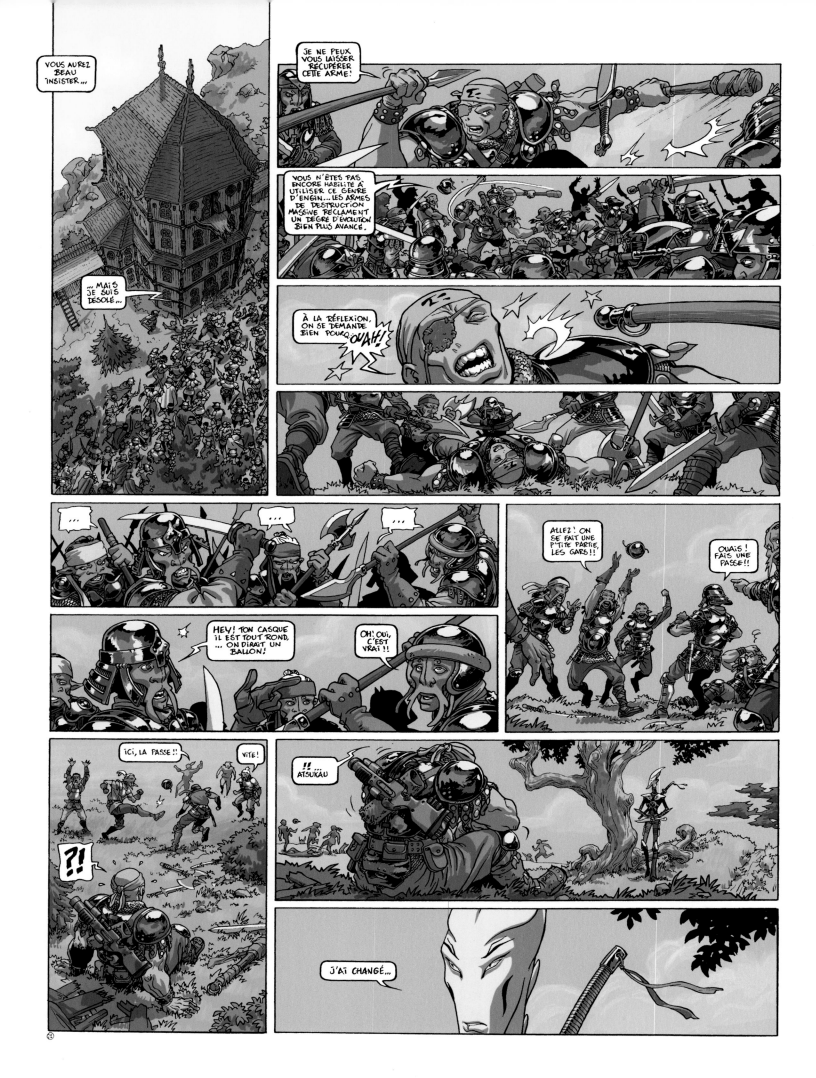

24

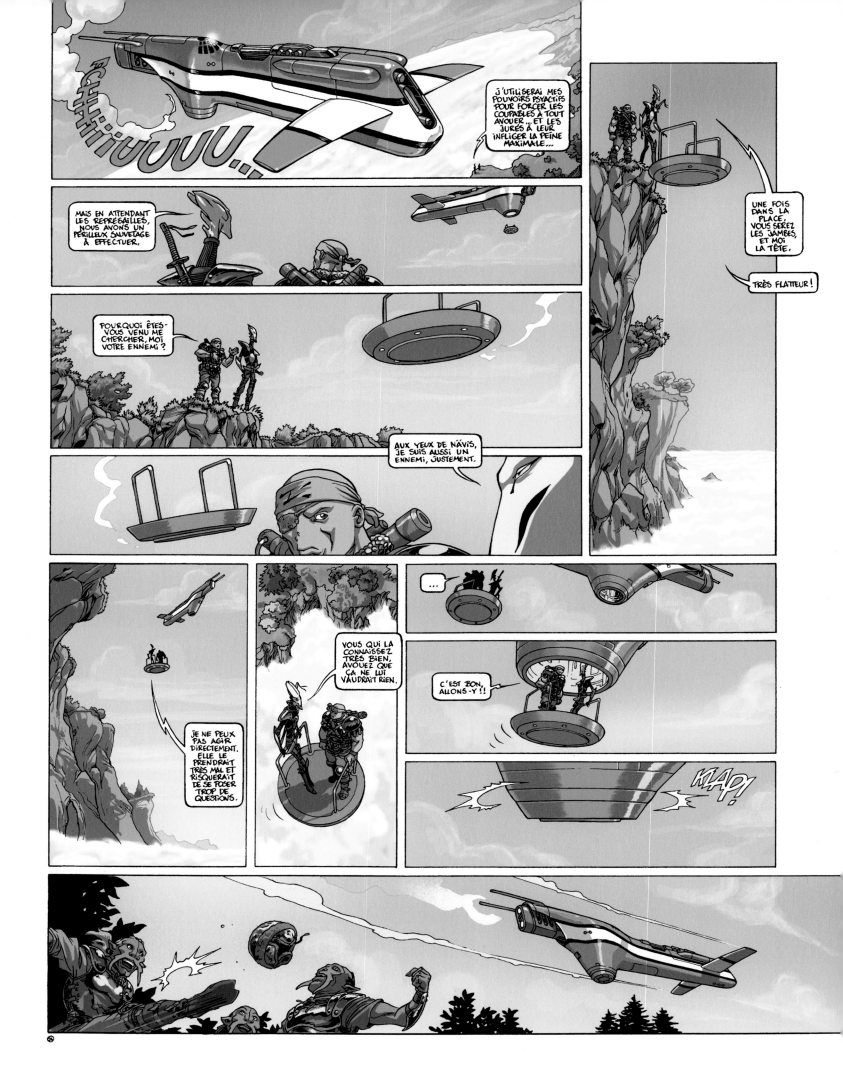

...NE DITES PAS LE CONTRAIRE! C'EST FLAGRANT. AVANT, JE LEUR AURAIS FAIT MANGER LEURS PROPRES VISCÈRES.
PEUT-ÊTRE QUE LE FAIT DE SUIVRE SA VIE AU CYCLE LE CYCLE FINIT PAR M' "HUMANIBER".
QU'EST-CE QUE VOUS FICHEZ LÀ?!
NE ME REMERCIEZ PAS, C'EST TOUT NATUREL, VOYONS.
C'EST FASCINANT, MÊME SUR LE POINT D'ÊTRE ÉTRIPÉ, VOUS N'AVEZ PAS UTILISÉ L'ARME SILLAGIENNE.
JE N'Y AI MÊME PAS PENSÉ!
JE VAIS VOUS SURPRENDRE, MAIS VOTRE INCONSCIENT A ÉMIS CETTE IDÉE... ET A REJETÉ CETTE SOLUTION IMMÉDIATEMENT
SI VOUS LE DITES!
EH OUI! VOTRE SENS DE L'ÉTHIQUE A CENSURÉ CETTE PENSÉE AVANT MÊME QU'ELLE AFFLEURE VOTRE CONSCIENT.
VOUS N'AVEZ PAS RÉPONDU À MA QUESTION!
J'AI BESOIN DE VOUS POUR SAUVER L'ÊTRE QUI EST LE PLUS CHER À NOS CŒURS.
NÄVIS!?
OH! VOUS AVEZ DEVINÉ.
QU'EST-CE QUI LUI ARRIVE?!
D'APRÈS LE MOUCHARD INSTALLÉ SUR SNIVEL, IL SEMBLE QU'ELLE SOIT ENTRÉE DE SON PLEIN GRÉ DANS LA PRISONEF DE RIB'WUND...
ET CELA AU BEAU MILIEU D'UNE GIGANTESQUE MUTINERIE ET D'UNE CHASSE À MORT...
SUITE AU CONTRAT LANCÉ SUR LA TÊTE DE CE MÊME RIB'WUND, DEUX ÉVÉNEMENTS ORGANISÉS PAR LES PONTES DU TRAFIC DE PLANÈTES, BIEN SÛR.
VOUS SAVEZ QUI SONT CES SALAUDS?!
CROYEZ-VOUS QUE DES CHOSES SI IMPORTANTES SUR SILLAGE PUISSENT M'ÉCHAPPER?! ILS ME VERSENT D'AILLEURS UN COQUET POURCENTAGE. MAIS EN SABOTANT SA NAVETTE, ILS SONT ALLÉS BEAUCOUP TROP LOIN.
ENTRE L'ARGENT ET ELLE, L'IDÉE MÊME D'UN CHOIX EST IMPENSABLE!

28

TUMP

OUCH!

GRRRRR!

HUMPH!..., JE NE PEUX PAS MARCHER, TU VAS M'AIDER À SORTIR DE LÀ!

GARGL!

T'AS L'AIR D'ÊTRE BONNE, TOI !! JE VAIS TE BOUFFER!

KHOF! KHOF!

KRAF!

AÏE! SOCK!

N'ESPÈRE PAS LA MOINDRE SOLLICITUDE POUR CECI !

JE NE L'AI PAS FAIT POUR ÇA!!

ARAH!

ALLEZ! AU FOND DE LA CELLULE, MAGNEZ-VOUS! LE PREMIER QUI FAIT LE CON, JE LE POINÇONNE!

SLAM

KRAF! KRAF!

ÇA VA LES RETENIR UN MOMENT.

27

HUNCH!

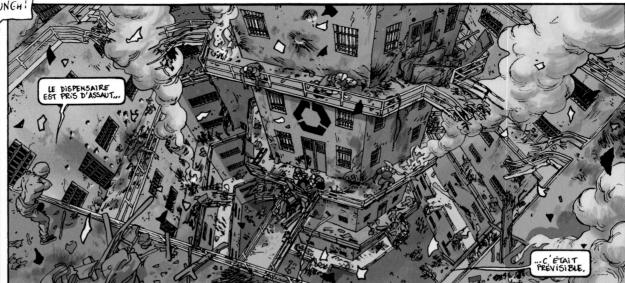

LE DISPENSAIRE EST PRIS D'ASSAUT...

...C'ÉTAIT PRÉVISIBLE.

HAAAR

HUMPH!

NNNHG! SALOPERIE DE SALOPERIE!

GRRRR...

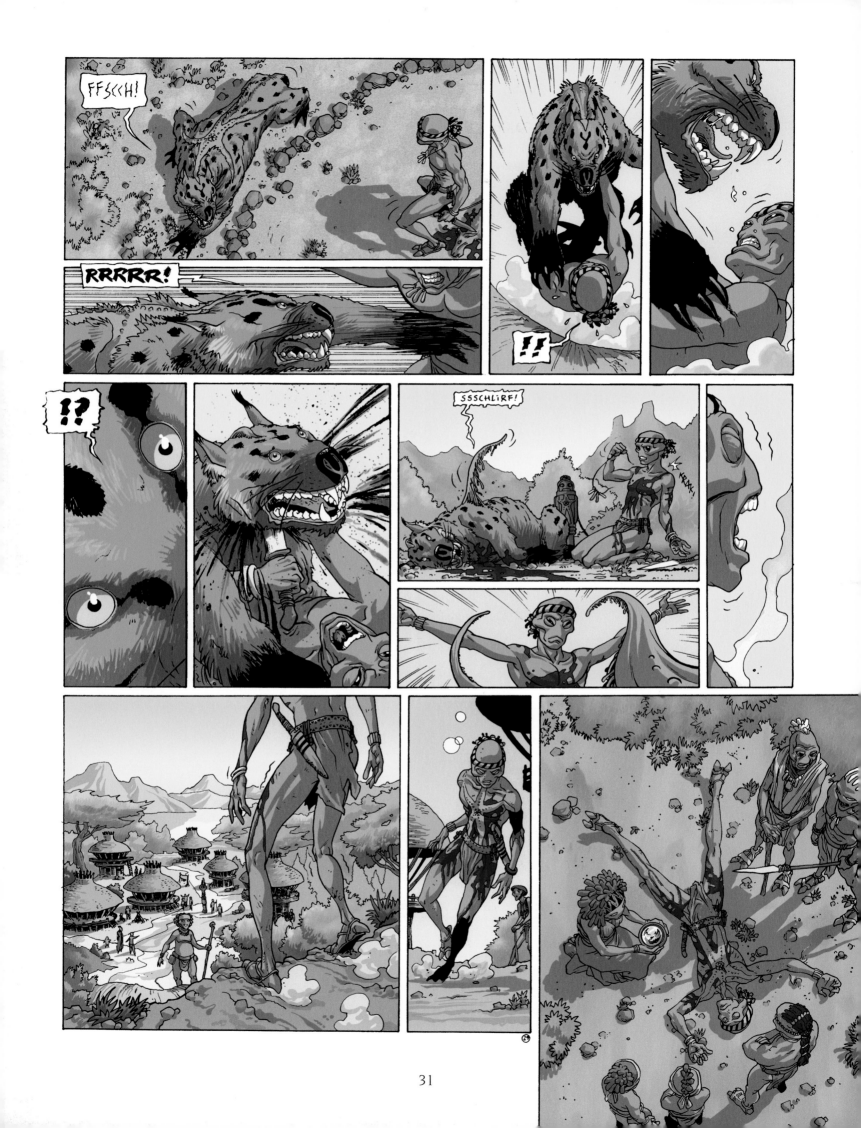

IL ME FAUDRAIT AU MOINS CINQ VIES POUR PURGER TOUT CE À QUOI J'AI ÉTÉ CONDAMNÉ...

C'EST POURQUOI J'AI IMMÉDIATEMENT ACCEPTÉ L'ORGANISATION D'UNE ÉMEUTE EN ÉCHANGE DE MON ÉVASION.

LE PLUS SOUVENT, NOUS NE NOUS AFFRONTIONS PAS ... MAIS IL Y A EU TOUT DE MÊME ASSEZ DE HEURTS POUR RALLONGER SANS CESSE NOS PEINES...

?!

QUI ?! QUI EST LE COMMANDITAIRE ?

MON AVOCAT AURAIT VOULU ME LE DIRE QUE J'AURAIS REFUSÉ... AVEC CE GENRE DE SECRET ... JE N'AURAIS PAS SURVÉCU À MON ÉVASION !

RÉPONDS-MOI, JE...

TOUT DROIT !

ET C'EST TOI QU'ON A CHARGÉ DE FAIRE TUER RIB'WUND ?

TSST! TSST! PLUS TU PARLES, MOINS TU MARCHES VITE.

POUKRAM!

HEY! QU'EST-CE QUE TU VAS FOUTRE LÀ-DEDANS ?!

ACK!

Y'EN A MARRE MAINTENANT !!

OUCH! JE T'INTERDIS DE...

TA GUEULE !

....

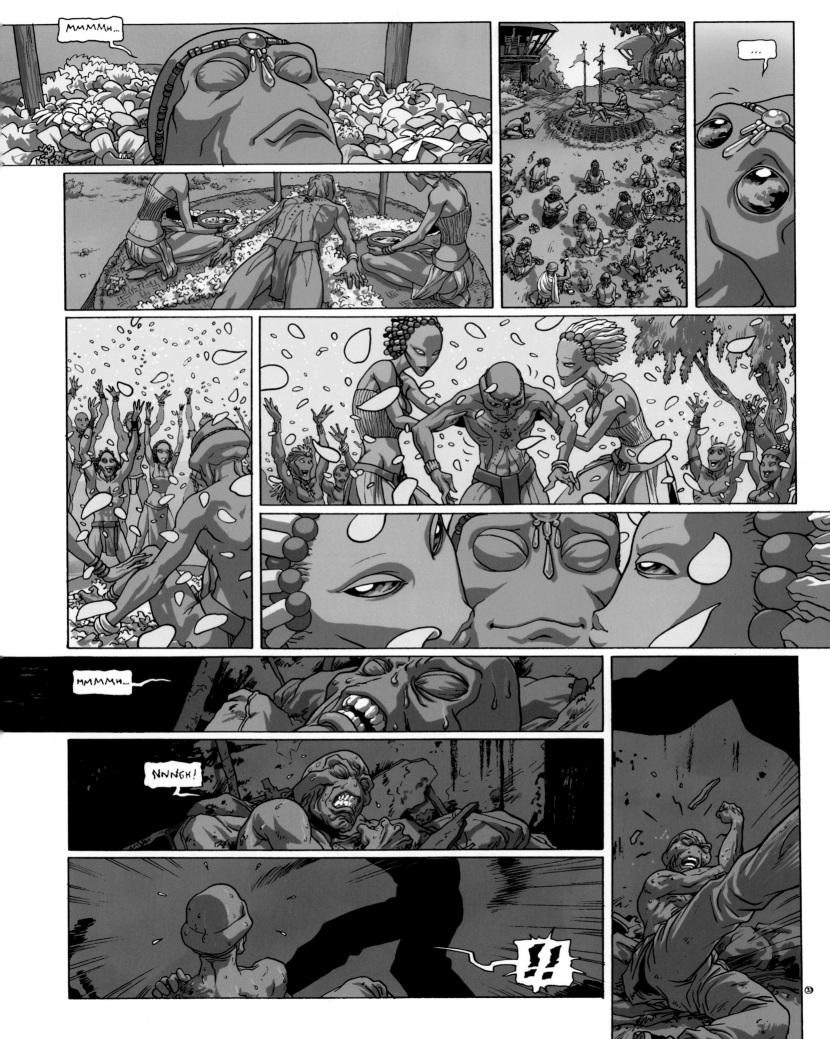

EYA!

THUD!

HA!?

SNAP!!

PERSONNE N'AVAIT JAMAIS PU CONTRER MON ATTAQUE DE RÉVEIL!

J'AI PAS DE MÉRITE, C'EST TOI QUI ME L'AS APPRISE!

NÄVIS?!

EH OUI! EN CHAIR ET EN BOSSES...

QUE... QU'EST-CE QUE TU FAIS LÀ?!

UN POISON ME BOUFFE DE L'INTÉRIEUR...

J'ESPÉRAIS TROUVER UN ANTIDOTE DANS CE FOUTU DISPENSAIRE... MAIS, À CAUSE JUSTEMENT DE TOUTES LES DROGUES QU'IL CONTIENT... LES DÉTENUS L'ONT PRIS D'ASSAUT.

PAS DE PANIQUE, ON VA TROUVER LE MOYEN D'Y ENTRER.

SNIVEL! TU ME CAPTES TOUJOURS?

OUI!... IL Y A UN PASSAGE DISCRET POUR S'Y INTRODUIRE ... HUM, PAR L'INCINÉRATEUR DE CADAVRES.

L'IMPORTANT, C'EST PAS DE SAVOIR POURQUOI JE SUIS LÀ, MAIS PLUTÔT COMMENT TE SORTIR DE CE PIÈGE!

LES PIEDS DEVANT ...

JE SAVAIS BIEN QUE TU POUVAIS TROUVER MIEUX QU'UN BÊTE VIDE-ORDURES!

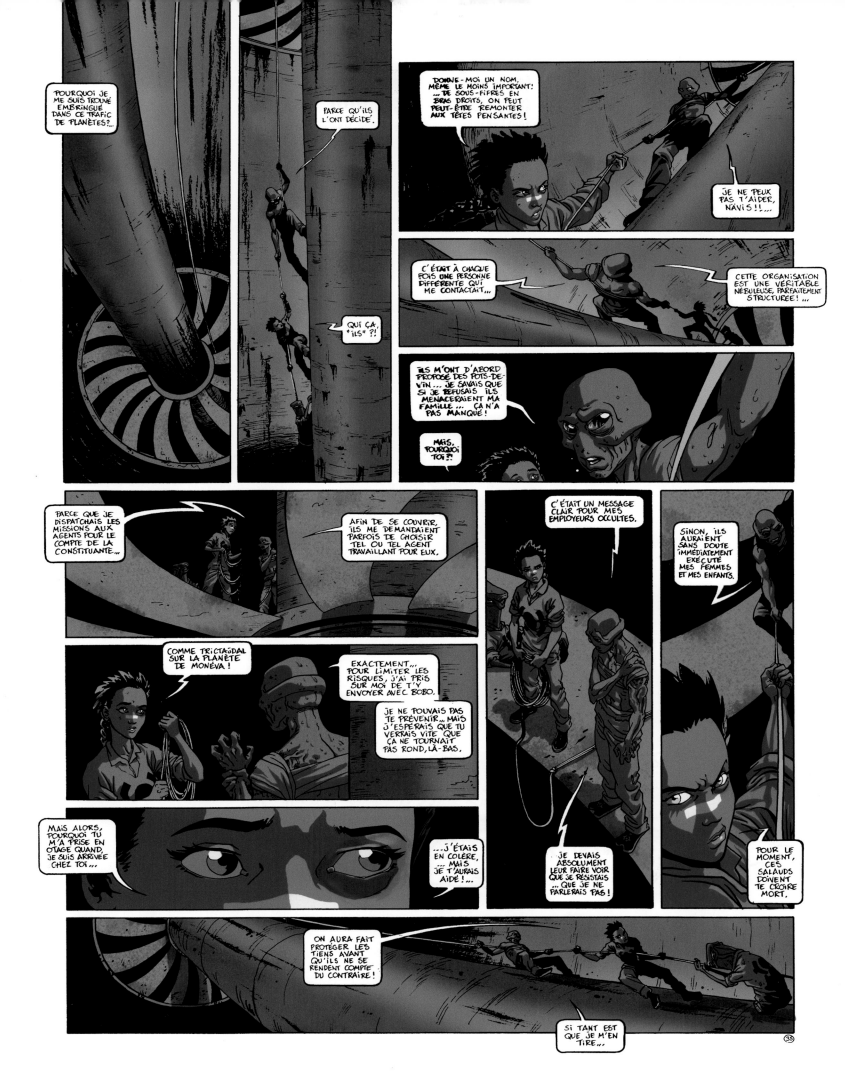

37

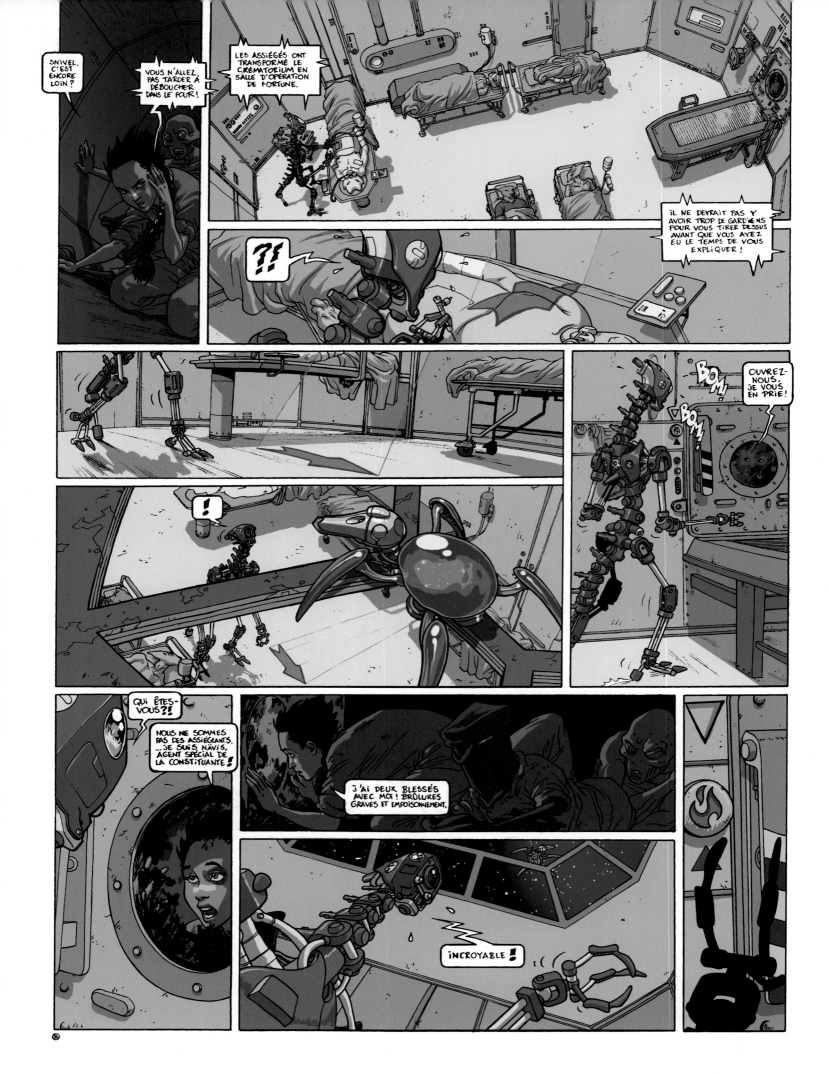

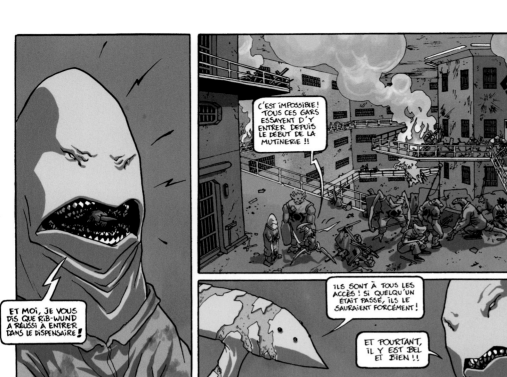

ET MOI, JE VOUS DIS QUE RIB-WUND A RÉUSSI À ENTRER DANS LE DISPENSAIRE !

C'EST IMPOSSIBLE ! TOUS CES GARS ESSAYENT D'Y ENTRER DEPUIS LE DÉBUT DE LA MUTINERIE !!

JE NE SAIS PAS COMMENT IL EST ENTRÉ, MAIS JE RESSENS LA PRÉSENCE DE MON POISON À L'INTÉRIEUR...

ÇA NE M'A JAMAIS TROMPÉ !

ILS SONT À TOUS LES ACCÈS ! SI QUELQU'UN ÉTAIT PASSÉ, ILS LE SAURAIENT FORCÉMENT !

ET POURTANT, IL Y EST BEL ET BIEN !!

VOUS FAITES COMME VOUS VOULEZ, MAIS MOI JE VAIS FINIR CE JOB... JE NE TIENS PAS À RATER LA NAVETTE QUI VA ME TIRER D'ICI !

À L'ASSAUT !

JE VAIS ENTRER LÀ-DEDANS !! QUE CEUX QUI VEULENT CETTE PUTAIN DE DOPE ME SUIVENT !

CHEF ! ON VA ÊTRE DÉBORDÉS !!

BOM K'POW! K'POW! K'POW! K'POW

FAITES UN TIR DE BARRAGE !! JE VAIS ESSAYER DE...?!

JE NE PENSAIS JAMAIS EN VOIR UN SPÉCIMEN VIVANT !!

OCCUPEZ-VOUS D'EUX, VITE ! JE VOUS EN PRIE !

EN REVANCHE AUCUNE ONDE MENTALE NE S'EN ÉCHAPPE.

DE LA CHALEUR SORT PAR LES ORIFICES... L'ŒIL EST HUMIDE...

?!

LA PEAU EST SOUPLE, LES MEMBRES SE PLIENT SANS DIFFICULTÉ !

HEY!

LÂCHEZ-MOI !! ÇA SUFFIT, QU'EST-CE QUI VOUS PREND ?!

QUAND J'ÉTAIS MÉDIC DANS LES ÉCLAIREURS, ON S'EST RETROUVÉS PROUE À PROUE AVEC UN VAISSEAU D'ORIGINE INCONNUE...

MALGRÉ NOS PSY-MESSAGES PACIFIQUES IL A OUVERT LE FEU DÈS QUE NOUS AVONS VOULU L'APPROCHER.

NOUS AVONS PU LE FORCER À SE POSER...

MAIS ILS ONT POURSUIVI LE COMBAT AU SOL...

LES SOLDATS SZLAGIENS BLESSÉS M'ONT DIT QU'ILS AVAIENT RAREMENT VU PLUS SAUVAGES COMBATTANTS...

C'ÉTAIT DES... ...VOUS AVEZ VU DES ÊTRES HUMAINS ?!

41

44

FFLISHHH

PARDONNEZ-MOI TOUS... JE...

?!

HO... EXCUSEZ-MOI, MADEMOISELLE... JE... JE DOIS REGAGNER MA CELLULE.

KHOF!

SLURP! SLURP!

SLURP!

SLURP! SLURP!

④

NÄVIS!

BOBO?

FALLAIT PAS T'INQUIÉTER...

JE M'EN SORS PLUTÔT BIEN...

De Morvan et Buchet, *chez le même éditeur :*
• La Quête des réponses

De Morvan, *chez le même éditeur :*
• Troll (quatre volumes) - volumes 1 à 3 : coscénario de Sfar, dessin de Boiscommun ; volume 4 : dessin de Labourot
• Le Cycle de Tschaï (cinq volumes) - dessin de Li An
• Sept Secondes (trois volumes) - dessin de Parel
• La Mandiguerre (deux volumes) - dessin de Tamiazzo
• Tutti Frutti (deux volumes) - coscénario et dessin de Trantkat
• Trop de Bonheur (deux volumes) - dessin de Lejeune
• Lord Clancharlie (un volume) - dessin de Delestret
• Meka (un volume) - dessin de Bengal

Aux éditions Glénat :
• Nomad (cinq volumes) - dessin de Savoia et Buchet
• H.K. (quatre volumes) - coscénario et dessin de Trantkat
• Je suis morte (un volume) - dessin de Nemiri

Aux éditions Zenda :
• Reflets perdus (un volume) - dessin de Savoia
• Horde (un volume) - dessin de Whamo
• Bunker Baby Doll (deux volumes) - dessin de Jarzaguet

Aux éditions Soleil :
• Sir Pyle (trois volumes) - dessin de Munuera
• Zorn & Dirna (deux volumes) - dessin de Bessadi et Trannoy

Aux éditions de l'Âge de Pierre, Paul ou Jacques :
• Les Préhistos ou tard (un volume) - dessin de Raoul Ketchup

Aux éditions Vents d'Ouest :
• Jolin la teigne (un volume) - dessin de Ruben

Chez Dargaud éditeur :
• Les Routes de l'Eldorado (adaptation des dialogues)
- avec Dreamworks et Munuera
• Merlin (cinq volumes) - coscénario de Sfar, dessin de Munuera
• Reality Show (deux volumes) - dessin de Porcel
• Al'Togo (deux volumes) - dessin de Savoia
• Fleau.world (un volume) - dessin de Whamo

Aux éditions Les Humanoïdes Associés :
• Nirta Omirli (un volume) - dessin de Bachan

Aux éditions Carabas :
• Plus jamais ça (un volume) - dessin de Vervisch

© 2004 Guy Delcourt Productions

Tous droits réservés pour tous pays.
Dépôt légal : août 2004. I.S.B.N. : 2-84789-360-1

Une production
« Atelier 510 TTC »   510 TTC
Conception graphique : Trait pour Trait

Achevé d'imprimer en juillet 2004
sur les presses de l'imprimerie Lesaffre, à Tournai, Belgique.

www.editions-delcourt.fr